# Re·See·Pic vol.2

© 고승철 구영주 김지민 이민형 이성진 허진, 2017

**1판 1쇄 인쇄** 2017년 6월 8일
**1판 1쇄 발행** 2017년 6월 20일

**글·사진** 고승철 구영주 김지민 이민형 이성진 허진
**기획** 허진 | **디자인** 문지연

**펴낸이** 허진
**펴낸곳** 레시픽
**등록** 2017년 4월 20일(제2017-000044호)
**주소** 서울시 중구 삼일대로4길 19, 2층
**전화** 070-4233-2012
**이메일** reseepics@gmail.com
**인스타그램** instagram.com/reseepic

**ISBN** 979-11-960943-0-0  04660

# RE · SEE · PIC

Vol.2

# CONTENTS

ine at Prague

고 승 철

여행이란 '선명한 빛을 사진으로 남기는 과정'이라는 생각은
나의 사진에 많은 영향을 주었다.
빛이 보이지 않는 날에는 카메라를 꺼낼 일은 없었으며,
그림자가 드리워진 풍경이 아니라면 카메라에 담지 않았다.

그렇게 나름의 확고한 틀에 사진을 끼워 맞추고 있었다.

아무런 계획도 없이
짧게 떠난 프라하의 마지막날

아주 느리게, 아주 천천히
오랫동안 바라본 해가 없는 풍경.

사람을 비추는...   건물을 비추는...
그림자를 만들어 주는 빛이 없는 세상도 예뻤다.
화려하지 않게 담담히 다가오는 세상도 충분히 좋았다.

담백하게 그려진 그 모습이 퍽이나 마음에 들었다.

2017년 2월

프라하

02

# 너의 뒷모습

구 영 주

다음에 이 세상에 태어난다면

반스로 태어나고 싶다

스케이트 보드 잘 타는 사람 발에 신겨질 수 있는 반스

그래서 나도 스케이트 보드 위에서

훨훨 날 수 있게.


다음 생은 vans로

영화를 보면 그런 장면이 있잖아

좋아하는 사람이 내 앞을 지나갈 때 모든 사람들은 다 스쳐 지나가는데

좋아하는 너만이 아주 천천히 머리결에 바람을 맞으면서 지나가는

그런 너를 나는 입벌려서 눈으로 쫓아가는

그런 장면

나에게는 그런 순간이었던 거 같아

살면서 따뜻한 눈빛이 그리울 때가 있다

그래서 내가 바라보는 카메라라는 네모의 세상 안에서는
이 세상을 따뜻한 시선으로, 따뜻한 감정으로 담을 수 있어서,
차가운 세상이지만 내가 만드는 네모 안의 세상은
따 뜻 한 세 상일 수 있어서
사진을 좋아하는 이유인 것 같다

너와 나

그것만으로도
세상이 분 홍 색으로 보이는 그런 날이 있었다
너와 나 그것만으로도 이 세상이라는 영화 속에 주인공이 되어
아지렁이 같은 기분으로 살았던 적이 있었다
너와 나 그것만으로도

## 누군가와의 눈맞춤

맞춤이라는 것.
입맞춤은 내가 아끼고 사랑하는 사람에게
나는 너를 내가 이만큼 아끼고 사랑하고 있어.
나의 마음을 표현하는 행위
입맞춤처럼. 눈맞춤도 무시할 수 없는 행위
서로의 입과 입이 맞닿아 행복을 나누는 것처럼
서로의 눈과 눈이 맞닿아 마음을 나눌 수 있는 것.
시선이 마주쳤을 때 그 눈들이 다시 튕겨져 나가 허공을 떠도는 것보다
눈으로 따스한 미 소 한번 지어주면 어떨까.

나는 세상에 존재하는 모든 색깔들이 좋다

쓰레기통의 초록색도 좋고

나의 고양이 치치가 싼 고동색 응아도 좋고

뾰루지를 터뜨렸을 때 나오는 노랑색도 좋고

네가 항상 메고 다니는 가방의 검정색도 좋고

내가 좋아하는 당근 주스의 주황색도 좋다

나는 색깔로 태어났으면 어떤 색이었을까?

내가 색깔로 태어날 수 있나면 무슨 색으로 태어나고 싶을까?

그러기엔 되고 싶은 색깔들이 너무 많다


**해마다 되고 싶은 색을 정해서 그 색으로 일 년씩 살아봐야겠다**

내가 좋아하는 헌팅캡
내가 좋아하는 빨간남방

**내가 좋아하는 것들을 네 모 의 세 상 속에 넣어보기**

넣어놓고 보니 빨간 남방 안에 감춰진 배불뚝이 할아버지 모습이 귀엽고
넣어놓고 보니 헌팅캡을 쓴 할아버지를 불러보고 싶어진다.

파 란 색 티셔츠를 입은 소년이
파 란 하늘을 쳐다보는 모습이

그 모습을 보는 내 눈동자가
**파 랑 색이 되는 느낌**
이었다

이제 훌쩍 커버려서

키도

몸무게도

마음도

모든 게 훌쩍 커버려서

누군가에게 나도 매달려서

이 세상을 거꾸로 보고 싶어요

라고 말할 수 없는 나이가 되버린 게


섭 섭 하 다

엄마가 그랬다 사람 사는 건 다 똑같다고

에이 뭐가 다 똑같아

잘 사는 사람들은 / 이쁘고 잘 생긴 사람들은 / 외국사람들은

나보다 조금은 더 즐겁고 행복할 거야

그래서 나도 좀 더 즐겁고 행복한 사람이 되고 싶어서

5주 동안 스페인 사람으로 살아보았다

엄마 말은 왜 틀린 게 없는 거지? 사람 사는 건 다 똑같더라

그래서 난 다른 사람과의 행복비교는 그만두었나

**내 마음이 즐겁고 행복한 것은**

**내 마음만이 만들 수 있다**는 것을 깨달았기 때문에

03

# Dublin, Ireland

김 지 민

**그냥 좋다.**

잘 알지도 못하면서 가보고 싶었던 곳은 생각보다 더 좋고,
왠지 마음이 가는 사람은 알수록 더 사랑스럽다.

스치는 마음에 설렘이 느껴지는 순간이다.

사랑할 수 있는 것이
하나 더 생기겠다.

눈이 마주친다.
습관처럼 눈길을 돌리려는 순간 나를 향해 웃는다.

마음이 부웅 떠오른다.

얼굴에 지어진 미소가 쉬이 멈추지 않는다 .
그러다 눈이 마주친 사람들이 다시 나를 보고 웃는다.

**참 좋다.**

커피 한 잔을 옆에 두고
너에게 마음을 써 내려가는 시간이 따뜻하다.

여행을 떠난다는 내 말에 너는 눈을 반짝거리며 말했다.
오래전 여행 중에 내가 보냈던 엽서가 좋았었다고,
아직도 가끔 꺼내 보곤 한다는 말이 고마웠다.

그리고 희미해진 그때의 내가 어딘가에 남아 있다는 것이 신기했다.
그때의 나는 어땠을까.

오늘 내 이야기를 시간이 흐른 후에 잊지 않고 전해 주었으면 좋겠다.
예전이 될 지금의 나는 어떤지.

언제나 나의 떠남이 너에게 기분 좋은 기다림이 되었으면 한다.
무엇보다 늘 네가 곁에 있어 주기를 바란다.

변하지 않은 엽서처럼.
지금처럼 소중하고 고마운 사람으로.

# 팟타이는 뚱빠이

이 민 형

잘 볶아져 윤기가 좌르르르 흐르는 면, 달걀로 코팅된 닭고기와 새우,
싱싱한 숙주 한 줌, 쪽파 한 줌, 라임 반 쪽, 정갈하게 차려진 소박한 한 접시

**팟. 타. 이.**

나는 지금도 작렬하는 태양 아래 철제 테이블에 앉아
차가운 Chang과 함께 기분 좋은 향신료가 곁들여진 팟타이를 먹을 때면
언제나 강렬했던 방콕이 떠오른다.

999west

여행의 시작과 끝을 함께했던 곳

이곳에서는 누구나 친구

함께 마실래?

똥빠이~!!!

## 버번위스키

한 잔   두 잔   세 잔

...

..

.

눈을 떴다. 숙소였다. 몸이 움직이질 않았다.
사라진 현금 30,000바트와 아이폰
아… 말로만 듣던 약탄술

**그렇다. 이제 돈이 없다.**

나름 부족하지 않게 놀다 가려던 여행은 시작이 이렇게 되었다.


스마트폰이 없으니 정보도 없다.

그냥 걷고 또 걷고 묻고 속고 또 묻고 걸을 뿐이다.

식사는 당연히 길거리 노점 음식.

숙소는 어쩔 수 없이 999West 옆 싸구려 여인숙.

못난 놈들은 서로 얼굴만 쳐다봐도 웃음이 난다는 듯

우린 서로 웃으며 쿨하게 잊기로 했다.

가난한 여행이지만

내게 남은 엑시무스와 필름 두 통으로

여행다운 사진을 한 장 정도는

담아 가고 싶었다.

똥빠이는 직진이라는 뜻으로
내가 싸와디캅 컵쿤캅 다음으로 아는 유일한 태국어였다.


아마도 내 돈을 털어간 이들에겐
카지노에서의 콜 정도로 해석을 한 듯 싶었다.


그래 진정한 똥빠이는 이럴 때 외치는 거다.
똥빠이.
**똥빠이!**

### 탁탁탁탁 지글지글 쉬익쉬익

팟타이를 빠른 속도로 볶는 소리에 매료되어
얼마나 오랫동안 그곳에서 아무말 없이 팟타이 볶는 모습만 지켜봤는지
모르겠다.


탁탁탁탁 지글지글…
쉬익쉬익 탁탁탁탁…
그렇게 방콕에서의 마지막 밤은 지나갔다.

**한국**으로 돌아와 여러 시행착오 끝에

방콕 길거리 **팟타이**를 재현해냈다.


그리고 **홍대 뒷골목**에 국내 1호 스트리트팟타이 노점을 열었다.

방콕의 팟타이는 나에게서 앗아간 **돈을 몇 배로 갚아주었다.**

# SYDNEY

이 성 진

Love Letter
.

## 천천히 좋아하는 이유

감동을 주는 그대를 만났습니다
잘 웃습니다. 웃으면서 진심을 보여줍니다
평범한 한두 마디도 깊이 생각하고
메모를 남깁니다

손이 아주 큽니다
그 커다란 손이 제 손을 잡았습니다
그대는 손을 잡고 행복한 표정이었습니다
저는 참 오래전부터 잡았던 손 같았습니다
셀레임이 사라진 줄 알았던 저는 어제 행복했습니다

두렵습니다.
어느 날 이렇게 좋아 보이고 행복한 순간들이
모두 사라지고 서로 원망할까봐요
소소한 것들 가지고 싸우고 적이 될까봐요

그래서 천천히 좋아하자고 했습니다
실망이 있더라도 그 사랑이 식지 않도록
천천히 좋아합니다

"어떤 색깔을 좋아해요?"

내가 기억하는 모든 것은 설레임이다

2015

SYDNEY

CUENCA in SPAIN

허 진

"닭이 먼저일까 달걀이 먼저일까?"

스페인 여행 중에 이런 질문을 듣게 될 줄이야!
학창시절 이 문제로 열띤 토론을 했던 기억이 떠올랐다.
부족한 영어를 손짓과 표정으로 거들며
내 생각을 전달하는 데 애를 썼다.
질문을 한 박물관 직원은 진지하게 이야기를 듣더니
시원하게 미소 지으며 이렇게 답했다.

"공룡이 먼저입니다."

우연히 EBS에서 공룡에 관한 프로그램을 봤다.
깃털이 달린 공룡의 그림을 보여주며 공룡과 새의 관계를 설명해주었다.
나와 아내는 서로를 바라보며 '쿠엥카 박물관'을 외쳤다.
쿠엥카 박물관에서 다시 시작한 스페인 기억 여행은
'매달린 집'을 지나, 매서운 바람에 무섭기까지 했던 다리를 거쳐
멋과 맛이 있던 '파라도르'에 다다랐다.

대성당의 서늘한 공기, 알아듣기 힘들었던 영어 해설,
짙푸른 밤하늘 노란 조명과 안개가 뒤섞인 도시의 촉감,
식료품 가게 할머니가 정성껏 골라준 템프라니요 와인의 향기.
퍼즐조각 맞추듯 추억을 떠올려본다.

**"아, 스페인 다시 가고 싶다"**

그곳에 다시 가면

우린 무엇을 보고, 듣고

어떤 추억을 그려 오게 될까?

불현듯

이런 질문을 던져본다.

추억이 먼저일까? 여행이 먼저일까?

"당신이 먼저입니다."

# Re.See.Pic_ vol.2
# photographer

**고 승 철**

grigiogo@gmail.com

instagram.com/grigiogo

체코 프라하(Prague, Czech), 2017

**이 민 형**

sowhat0612@naver.com

태국 방콕 (Bankok, Thailand), 2011

구 영 주

sweetkooz@naver.com

instagram.com/koo_zakka

스페인 마드리드(Madrid, Spain), 2016

김 지 민

ddobaki9@gmail.com

instagram.com/seetheworld_1929

아일랜드 더블린 (Dublin, Ireland), 2015

이 성 진

dreamday3@naver.com

instagram.com/jinleephoto

facebook.com/sungjin345

호주 시드니(Sydney, Australia), 2015

허 진

lumimaster@gmail.com

facebook.com/lumidraw

스페인 쿠엥카(Cuenca, Spain), 2014

여행을 다녀오고 사진만 남은 줄 알았는데,
자세히 보니 사이사이 이야기 꽃이 피었습니다.
다시 보고 싶은 사진책, Re·See·Pic